Serie: Nutrición y Salud

Secretos de la Dieta para Adelgazar Rápido

Cómo bajar de peso con comidas naturales y recetas saludables

Dr. Jacob T. Morgan

CATEGORÍA: Salud/Dieta y Nutrición

Impreso en los Estados Unidos de América

ISBN-13: 978-1-64081-041-9
ISBN-10: 1-64081-041-2

ÍNDICE

Prólogo

Janki Rana llegó a pesar 82 kilos, y estaba cansada de que la gente le dijera cosas, estaba cansada de no poder vestirse como ella quería y cansada de su cuerpo enfermizo. Un buen día en la universidad, fue que Janki se dio cuenta de que necesitaba ponerse en forma. A pesar de ser una estudiante de bioquímica, Janki fue a estudiar nutrición para entender bien su cuerpo con el fin de descubrir cómo podía perder peso de la manera correcta.

Janki confiesa que "como adolescente siempre batallé para comprar ropa de mi tamaño. Solía llevar pantalones vaqueros de tamaño XL y la gente a menudo se burlaba de mi peso. Fue sólo en la universidad, hace seis años, que me di cuenta que necesitaba estar en forma. Decidí cambiar las cosas y comencé a trabajar para lograr un estilo de vida más saludable. Siempre tuve un gran interés en la ciencia de la nutrición, por lo tanto, después de seguir mis estudios de licenciatura en Bioquímica, empecé a aprender sobre la nutrición y sus beneficios."

Janki logró bajar 20 kilos, y cuando le preguntan acerca de los secretos que ha descubierto al bajar de peso, comenta lo siguiente: "Sigo diciendo esto a todo el mundo que me pregunta acerca de la dieta: que no sigan esas dietas de choque o cualquier dieta de moda, porque la dieta no se trata de pasar hambre. De hecho, se trata de tomar decisiones saludables y ser feliz con ello. No se restrinjan tanto, de lo contrario todo el proceso se volverá tedioso e incómodo. Come muchas verduras y proteínas. Manténganse hidratados y hagan ejercicio durante al menos una hora por día, siempre y tanto no ignoren la ingesta de carbohidratos y grasas que también es esencial.

En este libro descubrirás cómo Janki pudo perder 20 kilos sin pasar hambre y los métodos exactos que ella usó, como así también los secretos para motivarse y no perder su enfoque.

También conocerás a un veterano de 31 años de la industria de investigación de mercado que perdió más de 60 kilos sin hacer una dieta controlada.

Como ellos, conocerás más historias de personas comunes que lograron bajar de peso con los consejos que encontrarás en este libro.

¿Deseas sentirte más saludable? ¿Te gustaría adelgazar y mantenerte delgada?

La dieta es una parte fundamental de nuestras vidas, sin embargo muchos de nosotros no la tratamos con el respeto que merece. Lo mejor que puedes hacer por ti misma es aprender a alimentarte con una dieta más limpia y saludable.

La mayoría de nosotros comprendemos la importancia de nuestra salud, pero no todos sabemos cómo podemos mejorarla.

¿Estás trabajando largas jornadas cada día? Te aseguro que entonces no estás alimentándote adecuadamente, pues no tienes la orientación adecuada ni tampoco un plan.

Organizar tu dieta para que encaje en torno a un trabajo exigente es uno de los problemas más comunes que la gente enfrenta el día de hoy. No estás sola. No siempre es fácil.

Pero, ¿cuál es la solución?

¿Cómo vas a comer saludablemente sin pasar horas y horas preparando comidas y contando tus calorías?

En realidad existe una manera mucho más fácil. En

este libro te mostraremos exactamente cómo puedes estructurar tu dieta, qué comidas puedes comer, cuándo debes comerlas y lo más importante: te educaremos en cuanto a por qué debes comerlas.

Esta guía te dirá todo lo que necesitas para empezar a vivir una vida más saludable y para perder peso, adelgazar y mantenerte delgada.

En este libro descubrirás:

- Cómo comer más sano y natural sin esfuerzo adicional de tu parte

- Cómo funciona tu cuerpo y cómo puedes perder peso

- Cómo entrenarte para que puedas comer más saludable para siempre

- Cómo establecer y alcanzar tus metas de salud a corto y largo plazo

- Cómo minimizar el tiempo dedicado a preparar las comidas

- Cómo preparar las comidas a granel por semanas de antelación

- Cómo tomar el control de tu salud y futuro

- Pequeñas diferencias que tienen un enorme impacto

- Cómo estructurar tu consumo de alimentos

- Cómo elegir los alimentos que mejoran la buena salud mental

- Cómo comer sano por menos dinero

- ¡Y mucho más!

Además te regalamos el libro "Cómo Adelgazar y Mantenerte Delgada", el cual contiene recetas que no superan las 1,500 calorías.

Introducción:

¡Realmente eres lo que comes!

¿Alguna vez has escuchado el dicho: "eres lo que comes"?

A primera vista podría parecer algo sin sentido. Claro, suena bien, pero, ¿qué significa realmente?

Si bien el dicho podría ser cliché, el hecho es que es mucho más preciso de lo que la mayoría de la gente se da cuenta. Literalmente eres lo que comes; hasta el punto donde cada última molécula en tu cuerpo habrá venido de algo que tú hayas consumido (o haya consumido tu madre, si todavía eres pequeño).

Esto es quizá más evidente cuando tenemos en cuenta las proteínas. Cuando tú consumes proteínas, lo que hace tu cuerpo es descomponerlas en los aminoácidos constitutivos.

Estos aminoácidos se recombinan a su vez para formar nuestros músculos, nuestras hormonas, nuestros huesos e incluso nuestro cerebro.

Mientras tanto, utilizamos los ácidos de nuestros alimentos para desencadenar reacciones entre los diferentes nutrientes en nuestras dietas y permitirles combinar y disolverse como sea necesario. Las vitaminas y minerales realizan una serie de otras tareas también, ayudando en la construcción de varias partes del cuerpo, hormonas, neurotransmisores, huesos y demás.

Tu cuerpo simplemente recicla lo que tú te pones en él y lo usa para seguir construyéndote.

Al mismo tiempo, es también nuestra comida la que nos da la energía que necesitamos para funcionar. Los carbohidratos y las grasas impulsan el proceso de crecimiento, cambios y sanación constante en nuestros cuerpos además de ser usados para tu propia nutrición.

Nuestros cuerpos se adaptan a la cantidad de energía y a la cantidad de sustento que se les brinda cada día. Si no tenemos suficiente de lo que necesitamos, entonces gradualmente nuestros cuerpos cambian de forma para prescindir de él. Si comemos demasiadas calorías, las almacenaremos como grasas. Si consumimos demasiado azúcar, nos hacemos menos sensible a la insulina.

Algo que deberías tener en cuenta es lo siguiente: nuestros cuerpos están cambiando constantemente. La pregunta más importante, entonces, es si deseamos vivir creciendo y mejorando o deteriorándonos cada día que pasa.

El mayor factor decisivo para determinar este resultado es: ¡tu dieta!

¿Por qué cambiar la dieta?

Entonces, ¿por qué debo cambiar mi dieta?

En realidad hay innumerables razones que merecen la pena el esfuerzo. Como acabamos de aprender, nuestro cuerpo se compone literalmente de lo que comemos. Eso significa que cuanto más limpio y sano sea el alimento que vamos a consumir, obtendremos más salud y nos sentiremos y luciremos mucho mejor.

Por supuesto, eso significa más masa muscular magra, pero también significa una piel más saludable, como también cabello y uñas sanas.

Por otra parte, cuanto más nutritivos sean los alimentos que comes (y cuanto menos comida chatarra ingieras) mejor te funcionará todo. Las mayores causas de muerte en el mundo son enfermedades progresivas prevenibles, lo que quiere decir que muchas de ellas podrían haber sido contrarrestadas con la dieta adecuada. Si comes bien vivirás con menos riesgo de contraer cualquier problema grave de salud y tu esperanza de vida se incrementará significativamente.

Recuerda que la comida que tú comes también contribuirá a la forma en que te sientes día a día. Si te alimentas con la dieta adecuada, entonces tendrás mayores niveles de energía, un mejor estado de ánimo e incluso un mayor coeficiente intelectual. Tendrás mejor eficiencia energética y esto te permitirá concentrarte mejor, ver mejor y además, pensar más rápido y actuar mejor en cualquier deporte que practiques.

En resumen, una buena dieta te hace mejor en todos los sentidos. Y cuando estás mejor, te desempeñas mejor y la vida mejora.

¿Todavía no estás convencida de que esto vale la pena el tiempo y el esfuerzo? Entonces considera el impacto que puede tener en tu familia. Si tú comes bien estarás ayudando a tu familia a mejorar su salud, ya que probablemente comerán lo que tú comes.

Esto se convierte en un factor aún más importante si estás embarazada o amamantando, ya que los alimentos que consumes ahora serán consumidos directamente por tus hijos.

Tu dieta también puede cambiar tu composición génica, lo que significa que lo que tú comes ahora podría afectar la salud de tus hijos años más tarde.

Fíjate la historia real de Raúl Robles, quien dice: "En noviembre de 2009 mi esposa compartió conmigo su miedo de que mi peso me llevara más temprano a la tumba. Pesaba 344 libras (156 kilos), era diabético, lidiaba con problemas de presión arterial alta, y en general estaba muy descontento con mi vida.

Mi esposa me sugirió que me hiciera una cirugía bariátrica. Mi doctor estuvo de acuerdo y así comencé las clases requeridas para educarme sobre la salud y el bienestar antes de la cirugía. ¡Estas clases fueron reveladoras! Descubrí que estaba consumiendo entre 5.000 a 7.000 calorías diariamente.

Esta fue una de las principales razones por las que mis esfuerzos anteriores para perder peso fracasaron rotundamente. A pesar de que salía a caminar durante 30 minutos todos los días, las calorías que estaba quemando ¡ni siquiera estaban cerca de la cantidad de calorías que estaba consumiendo!

Armado con el conocimiento que estas clases proporcionan, es decir, comer más verduras y frutas, beber más agua, registrar mis calorías, levantarse y moverse, etc., pude perder más de 78 libras (35 kilos) en los primeros seis meses. Después de haber descubierto el "secreto" para la pérdida de peso, decidí renunciar a mi cirugía bariátrica y en lugar de ello continué con mi estilo de vida saludable.

¡Al final del año 2010 había perdido más de 140 libras (63 kilos)! Estaba comiendo sano, haciendo ejercicio regularmente, bebiendo más agua y registrando todas mis calorías. Hoy he perdido más de 150 libras (68 kilos).

Sigo contando mis calorías, hago ejercicio regularmente y ahora disfruto de mi vida como nunca antes."

Las buenas noticias

La buena noticia es que comer bien no tiene que ser difícil. De hecho, comer bien puede ser increíblemente simple cuando sabes cómo.

El problema es que hay tantas dietas diferentes y consejos tan contradictorios que se hace bastante difícil encontrar la información correcta. Un día te dicen que las grasas son nocivas y al siguiente te aconsejan ¡echar trozos enteros de mantequilla al café! Algunas personas te dicen que las calorías que consumes es lo único que importa para perder peso raídamente, mientras que otros dicen que diferentes calorías te afectan de manera diferente.

Muchas nuevas ideas y nuevas investigaciones se han

introducido a lo largo de los años que han alterado la forma en que miramos la dieta. Aunque parte de esto ha sido muy útil, también ha traído mucha confusión, y las personas realmente interesadas en una buena nutrición a menudo ya no saben por dónde empezar.

Este tipo de investigaciones suele encontrar formas nuevas y emocionantes de quemar grasa más rápido, o enfocarse en el impacto de algún nutriente específico. Sin embargo, en algunos casos se trata de diferencias ínfimas entre los diferentes grupos de alimentos o incluso horarios de comer.

En otras palabras, se trata de un tema complejo. Y en realidad no te debería preocupar hasta que llegues al punto en el que ya estás en gran forma y deseas mejorar aún más.

Para el principiante regular ninguna de esta información es necesaria o relevante, ya que lo único que hace es complicar las cosas. Ya sabemos lo básico. Sabemos cómo ayudar a una persona a construir más músculo, quemar más grasa y que se sienta más saludable.

Y es que, en realidad, la forma en que esto se logra no podría ser más simple. La mejor manera de comer bien y mejorar la salud es algo que debe ser algo increíblemente intuitivo y que parece increíblemente obvio cuando lo entiendes.

Veamos la historia real de una persona que ha experimentado transformaciones asombrosas. Arpan Gupta nació en la India y nos cuenta cómo perdió 61 kilos en nueve meses sin hacer dieta. Aquí está su historia: "Soy un veterano de 31 años de la industria de investigación de mercado. Hice mi maestría en Negocios Internacionales en la Escuela de Economía de Delhi y desde 2010 había estado trabajando en el amplio dominio de la Investigación de Mercado y las regulaciones de la política.

En febrero de 2012 ya estaba pesando unos impresionantes 125 kilos. No tenía ningún tipo de enfermedad y tampoco tenía problemas de salud significativos. El ejercicio nunca fue algo que formara parte de mi rutina.

Luego, un buen domingo, mi esposa insistió en que vayamos a un gimnasio. Para hacerle compañía pensé que podría probarlo. Pero ocurrió algo asombroso. Una vez que empecé a asistir lo empecé a disfrutar. Me encantaba correr en la caminadora y ver a otros hacer ejercicios similares realmente me motivó.

De hecho, seguí trabajando durante nueve meses mientras que mi esposa lo abandonó luego de un mes. Sin embargo, durante esos meses, como estaba constantemente perdiendo peso recibí un apoyo inmenso de mis padres y mi esposa.

¿Si fue difícil empezar? Mis primeros días en el

gimnasio eran engorrosos, ya que no sabía cómo hacer los diferentes tipos de ejercicios. Mis entrenadores me ayudaron mucho. Inicialmente solía ser más de cardio, y luego cambié a una mezcla de cardio y entrenamiento con pesas.

Pero sí, nunca hice ningún ejercicio que no estuviera en mi zona de confort. Hice un poco de correr, levantar pesas y tirar. También hice otros cambios sutiles en mi vida y tomé las opciones más físicas. Por ejemplo, en vez de usar escaleras mecánicas en las estaciones de metro, usaba las escaleras.

Durante nueve meses seguí un régimen dietético estricto. No comí ninguna comida chatarra o cualquier producto con elevados índices de azúcar tales como rosquillas. Comía copos de maíz para el desayuno, Roti-Subzi (Roti, también conocido como chapati, es un pan originario del subcontinente indio, hecho de harina integral, similar a las tortillas mexicanas) y yogurt para el almuerzo, frutas en la noche y Roti-Dal y yogurt para la cena. También me complacía con un chocolate al día.

Puedo decir orgullosamente que nunca me privé de comida y que tampoco pasé hambre. Yo no estaba "a dieta" de la manera que la mayoría de la gente lo hace, yo sólo estaba comiendo saludablemente. Comía cosas que me daban energía, así que nada de dulces.

Cuando entré en el gimnasio por primera vez pesaba

125 kilogramos. Ahora peso alrededor de 64 kilos, por lo que perdí 61 kilos en el gimnasio."

Cuando se le preguntó si tenía alguna sugerencia que le gustaría compartir con personas que están luchando para perder peso, Arpan contestó: "Si puedo perder 61 kilos, que para ser justos parecía imposible en una etapa, entonces cualquiera puede lograrlo. También la gente necesita darse cuenta de que no puede perder peso pasando hambre cada día. Nunca perderás peso de esa manera. Adelgazar de forma saludable se consigue al comer sano, tener una dieta balanceada, hacer ejercicio durante 30 minutos todos los días y vivir una vida más activa físicamente."

En este libro aprenderás cómo debería ser una dieta saludable y cómo la nutrición correcta afecta tu cuerpo. También aprenderás a incluir esta dieta de una manera sencilla, para que sea fácil y agradable para cualquiera que desee cambiar su vida y conseguir buena salud.

Cuando tú logras cambiar tus hábitos alimenticios, literalmente estás reconstruyendo toda tu biología desde el principio. ¡Prepárate para cambiar!

Lo que vas a aprender

Esto es un breve resumen de lo que aprenderás al leer

este libro, descubrirás:

• Cómo perder peso disminuyendo calorías

• El papel de los carbohidratos y las grasas en tu dieta

• La importancia de la densidad de nutrientes

• Los nutrientes claves que mejorarán tu apariencia, tu poder cerebral y tu esperanza de vida

• Cómo es que diferentes dietas, como la Dieta Paleo y la Dieta Mediterránea, funcionan bien (y dónde no funcionan correctamente)

• Cómo evitar los retortijones de hambre y los antojos

• Cómo cocinar/preparar comidas deliciosas y saludables que incluyen desayunos, almuerzos y cenas

• Cómo ahorrar tiempo en la cocina y cocinar según tu estilo de vida

• Cómo mejorar los niveles de energía y tener más tiempo y entusiasmo para el momento de tus comidas

• Cómo cenar afuera sin arruinar tu dieta

¡Y mucho más!

*****

1.

Comprendiendo la Dieta y tu Salud

Como ya hemos mencionado en la introducción, hay una gran cantidad de información contradictoria y disponible cuando se trata de perder peso y mejorar la salud. A veces se siente que todo el mundo tiene una agenda que cumplir y es imposible saber por dónde empezar o incluso cómo encontrar alguien que te asesore objetivamente.

La clave del cambio es entender lo que realmente importa y encontrar las maneras más fáciles de implementarlo. Entonces, ¿qué es lo que realmente necesitas saber?

Calorías y energía

Una de las primeras cosas que debemos comprender es cómo el cuerpo utiliza calorías para producir energía.

Básicamente, el cuerpo puede quemar una serie de diferentes tipos de alimentos con el fin de convertirlos en energía utilizable. Para ello, debe romper la glucosa y crear trifosfato de adenosina (ATP), que a su vez es utilizado por el mitocondrias o centros de energía en las células.

La glucosa es esencialmente una forma de azúcar (con fructosa y lactosa siendo otros ejemplos) y esto se encuentra principalmente en los carbohidratos.

Los carbohidratos son a menudo considerados los alimentos que tienen un sabor dulce (como dulces, chocolates y bebidas azucaradas), aunque también pueden estar presente en la pasta y el pan, entre otras cosas. La cantidad de energía disponible en cada tipo de alimento se mide como calorías.

Mientras tanto, la glucosa también se puede encontrar en las grasas, proteínas y casi cualquier otro alimento. De hecho, la grasa contiene un poco más de azúcar que los carbohidratos, incluso con 9 calorías por gramo frente a las 4 calorías por gramo de los carbohidratos.

Aquí es donde "contar las calorías" entra en juego y es por eso que es útil para controlar la cantidad de calorías que quemas todos los días para aprender cómo perder mejor tu peso.

Para decirlo simplemente, el cuerpo almacena el exceso de calorías como grasas. El cuerpo quemará esa grasa almacenada cuando no reciba suficientes calorías en la dieta. Y todo esto depende de la cantidad de energía que utilizas en todo el día.

Si tú eres alguien que quema 2.700 calorías al día, pero sólo consume 2.500, entonces eso significa que tu cuerpo se verá obligado a quemar de la grasa almacenada con el fin de proporcionar las 200 calorías adicionales de energía (glucosa y ATP).

Del mismo modo, si quemas 2.700 calorías al día, pero comes 3.000 calorías por día, entonces almacenarás 300 calorías como grasa.

Cómo bajar de peso con el conteo de calorías

Con estos datos en mente es que necesitas saber cuántas calorías tú quemas en un día para que puedas aspirar a consumir menos que eso con el fin de perder peso.

Para calcular este número necesitas conocer tu TMB y tu TMA.

Una TMB es una "tasa metabólica basal". Esta es la velocidad a la que quemas calorías en un día en el que no estás haciendo nada más. Incluso si tú no estás en movimiento, tu cuerpo sigue usando calorías y energía para permitirte respirar, digerir y combatir la enfermedad.

A la inversa, la TMA es la "tasa metabólica activa", que es el número de calorías que tú quemas por día cuando estás en plena actividad o haciendo ejercicios. Para la mayoría de la gente, este último número va a ser mucho más útil.

Para calcular tu TMA, puedes utilizar la siguiente información:

Mujeres
TMB = (10 x peso en kg) + (6,25 × altura en cm) – (5 × edad en años) – 161

Hombres
TMB = (10 x peso en kg) + (6,25 × altura en cm) – (5 × edad en años) + 5

Para convertir esto en tu TMA, multiplica esa cantidad por:

- 1.2 si eres sedentario (poco o ningún ejercicio)
- 1.375 si eres levemente activo (te ejercitas entre 1 y 3 veces a la semana)
- 1.55 si eres moderadamente activo (ejercitas o trabajas sobre el promedio)
- 1.725 si eres muy activo (entrenas duro durante

6 a 7 días a la semana)
- 1.9 si eres muy activo (eres un trabajador físico o un atleta profesional)

Con este número en mente, ahora puedes tratar de conseguir un objetivo todos los días con el fin de garantizar la pérdida de constante grasa corporal.

Puedes hacer esto contando todas tus calorías, o puedes hacerlo de una manera más cómoda y fácil: calculando las calorías de algunas de tus comidas más comunes y tenerlas como referencia. Trata de mantener tu desayuno y almuerzo bastante consistentes y luego aprender a hacer unas cenas con pocas calorías.

Otro indicador es que la quema de calorías promedio es de alrededor de 2.500 para los hombres y 2.000 para las mujeres. Si tú eres una persona de constitución bastante promedio, entonces al no excederte con ese número de calorías deberías perder peso normalmente.

Carbohidratos contra las grasas

En este punto puedes estar preguntándote por qué los carbohidratos se consideran la principal fuente de glucosa en la dieta cuando las grasas contienen más calorías.

La respuesta es que se trata de cómo el cuerpo utiliza

esas calorías. Y esta es una de las fuentes de complicación y discusión en la industria de la nutrición y salud.

Verás, el cuerpo es capaz de extraer energía de los carbohidratos mucho más rápidamente que cualquier alimento. Esto es especialmente cierto para los carbohidratos simples como dulces y pan blanco (los carbohidratos complejos, incluyendo pan de centeno y la patata dulce actúan un poco más como las grasas).

Por lo tanto, cuando comes un gran plato de carbohidratos, esto es seguido por un inmediato subidón en tus niveles de azúcar en la sangre. Esto, a su vez, provoca la liberación de altas cantidades de insulina que activan el cuerpo para comenzar a absorber la glucosa de la sangre y potencialmente almacenarla como grasa.

Este proceso te deja con un bajo nivel de azúcar en la sangre (y la

Serotonina baja) lo que te hace sentir cansado, sin energía y hambrienta. Esto también conduce a un deseo de comer entre comidas.

Las grasas, por otro lado, liberan sus 9 gramos de azúcar mucho más lentamente en el torrente sanguíneo, proporcionando una cantidad de energía más estable y duradera sin sentir hambre enseguida. Las grasas además se asientan en el estómago y te hacen sentir lleno por más tiempo.

En realidad pueden ralentizar la digestión de los carbohidratos simples cuando son consumidos al mismo tiempo y pueden mejorar la absorción de nutrientes. De hecho, muchos profesionales aconsejan tomar los suplementos nutricionales junto con una fuente de grasa saturada, con el fin de ayudar a la absorción de los mismos.

Por ejemplo, si comes luteína para mejorar la vista y mantener la eficiencia energética, se te aconsejará que lo consumas con un poco de leche entera.

Fíjate qué le pasó a Emily Kilar. Ella lo cuenta así: "En 2009 tuve una revelación: mi obesidad estaba consumiendo mis pensamientos, mi salud y mi vida. Decidí a la edad de 15 años que tenía que asumir la responsabilidad de las 85 libras extra que había ganado poco después de haber sido medicada por una condición tiroidea.

Mi viaje comenzó pequeño y sencillo. Empecé a eliminar los "malos alimentos" de mi dieta, incluidos aquellos que se promocionaban como "dietéticos", dejé los alimentos fritos y todos los refrescos completamente. Lentamente comencé a darme cuenta de que comer frutas, verduras y granos saludables en realidad podría ser apetitoso, y se convirtieron en mis platos preferidos.

También comencé a hacer un montón de investigación sobre la nutrición y la ciencia de la digestión humana. Para el ejercicio me despertaba cada mañana antes de la escuela y caminaba en mi vecindario, y en las tardes caminaba de la escuela a mi casa. En el transcurso de 4 años pude perder el peso que tenía de más y he sido capaz de mantenerlo durante 4 años.

Hoy en día, me gusta participar de varios ejercicios tales como yoga y senderismo. Las prácticas diarias que se han vuelto habituales para mí incluyen desayunar (típicamente un batido verde) con avena, siempre tener una botella de agua en la mano para la hidratación y almendras para merendar. Practicar el autocontrol para mí es la clave, y me trato con moderación. Me gusta buscar alimentos a base de plantas para que sean digeridos más fácilmente, y eso me hace sentir lo mejor posible.

Nunca hice una de esas "dieta de shock", ni tampoco tomé píldoras para adelgazar. Tampoco me suscribí a una membresía para algún gimnasio. Simplemente perdí peso de la manera más natural: a través de nutrir mi cuerpo correctamente, así como mantenerse activo haciendo ejercicio de formas divertida."

Así que aquí es donde el dilema y la dicotomía comienzan a entrar en juego. Los alimentos "dietéticos", reducidos en contenido graso, también pueden reducir considerablemente tu contenido de calorías. Un simple sándwich de atún, por ejemplo, podría contener entre 50-100 calorías menos que un sándwich comprado en una tienda normal, y por lo tanto de esta manera podrías perder peso manteniendo bajo tu TMA.

Al mismo tiempo, la eliminación de la grasa de los alimentos light (aquellos dietéticos) realmente significa que la energía llegará más rápido y más fuertemente, por ende absorberás menos de los nutrientes esenciales. Esto dará como resultado que todavía sientas hambre, y posiblemente te llevará a comer entre comidas. Aun peor, puede significar que estarás recibiendo menos nutrición para construir un cuerpo y una mente fuerte y saludable.

Y eso es incluso antes de considerar los beneficios para la salud que tiene la grasa. La grasa es en realidad un componente clave en la estructura del cerebro y es lo que el cuerpo utiliza para crear testosterona (que aumenta el metabolismo y ayuda en la construcción muscular).

*****

2.

El problema con las comidas
preparadas y comer entre comidas

Hay otro problema con seguir la ruta puramente baja en grasas y baja en calorías; y es que te lleva a comer una dieta menos nutritiva.

Piénsalo de esta manera: si quieres seguir una dieta sólo baja en calorías, entonces tú podrías realmente perder peso con sólo comer donuts (rosquillas). Ya que como un promedio, una rosquilla contiene alrededor de 195 calorías y el promedio diario de TMA es entre 2.000 y 2.500, lo que significa que podrías comer de 10 a 15 donuts al día y todavía perder peso, con tal de que tampoco comieras nada más.

Pero, ¿cuál es el problema? Esto es realmente muy poco saludable, porque no estarías consumiendo ninguna de las vitaminas y nutrientes esenciales que tu cuerpo necesita.

Y lo mismo ocurre con las comidas ya preparadas y un montón de aperitivos, incluso los "light" o aquellos mal llamados "dietéticos".

La proteína que necesitas

Un componente esencial de la dieta del todavía no hemos hablado es la proteína. La proteína es lo que obtenemos de la carne y es donde conseguimos los "aminoácidos" que nuestros cuerpos necesitan. Los aminoácidos se utilizan para reparar la piel y los huesos, y son también necesarios para la construcción de los músculos.

Para obtener tanto músculo como sea posible, la recomendación es que obtengamos alrededor de 2 gramos de proteína por cada kilo de peso corporal. Por supuesto que este asesoramiento está dirigido a culturistas y atletas y no se aplicaría a las personas que no se dedican a eso, pero muestra el papel clave que desempeña la proteína en la composición de nuestro cuerpo.

Lo que también es importante tener en cuenta es que hay más de un tipo de aminoácidos. En realidad, se cree actualmente que son 20 aminoácidos, de los cuales solamente nueve de éstos están disponibles a través del cuerpo. Si no obtienes todos estos aminoácidos de tu dieta, entonces ciertos trabajos importantes de reparación en tu cuerpo no se llevarán a cabo.

Dado que la mayoría de las fuentes de proteínas sólo contienen ciertas combinaciones de aminoácidos, generalmente es importante asegurarse de que tu dieta contenga una variedad de diferentes tipos de plantas, pescados, productos lácteos y carnes. Una de las pocas fuentes que contiene todos los aminoácidos juntos es el huevo.

Y se vuelve todavía más complicado, porque las fuentes de proteínas también varían en su "disponibilidad". Dependiendo de la relación entre los aminoácidos esenciales y los no esenciales, la presencia de aminoácidos de cadena ramificada y otros factores, ciertas proteínas serán más fáciles de usar para el cuerpo que otras.

La proteína derivada de animales es siempre superior a la de las plantas. ¿Por qué? Porque la estructura de los animales es más parecida a la nuestra. Cuando consumes proteína animal, como el suero de leche, el huevo, el pollo o la carne, estás consumiendo músculo y grasa, y estas son todas cosas que el cuerpo puede usar luego. Incluso la proteína de soja es menos eficaz y también puede disminuir la testosterona y aumentar el estrógeno.

Así que puedes perder peso al comer nada más que rosquillas, pero si lo hicieras, entonces tu cuerpo obtendría apenas algunos aminoácidos útiles y perderías mucho músculo, además de dañar tu piel, el pelo y los huesos.

Micronutrientes

Entonces, para obtener lo máximo de las proteínas en tu dieta, realmente necesitas pensar cuidadosamente sobre los tipos de proteínas que estás consumiendo, cuándo los consumes y cómo los estás combinando.

Pero eso es sólo una parte de la historia...

Porque también hay que pensar sobre las vitaminas y minerales que consumes y cómo incluirlos en tu dieta. Las vitaminas, minerales y otros micronutrientes pueden hacer todo tipo de cosas increíbles para tu salud.

La mejor manera de pensar en cuanto a vitaminas y minerales en tu dieta es como si fuesen "power-ups" en juegos de computadoras. Es decir, cuando empiezas a coleccionarlos a través de lo que comes, puedes aumentar tu fuerza, tu velocidad, tu resistencia, tu poder cerebral y mucho más.

De hecho, muchos de los nutrientes individuales en nuestros alimentos se venden ahora como suplementos para una variedad de atletas. Podría escribir capítulos enteros sobre los beneficios de innumerables nutrientes individuales y cada vez que lo hiciera te sentirías obligado a salir corriendo por la puerta y comprarlos en forma de suplemento.

Pero lo importante aquí es que conseguir estos nutrientes de tu dieta diaria es mucho más fácil, más barato y más eficaz. Cuando obtienes minerales solubles en grasa y vitaminas del aguacate en lugar de una tableta o suplemento, por ejemplo, también obtienes la grasa saturada que te ayuda a absorberlo, que también es esencial. Y obtener hierro de las espinacas en lugar de una pastilla significa que es menos probable que sufras de problemas del estómago.

Por otra parte, es simplemente imposible agregar todas las diferentes vitaminas y minerales en tu dieta manualmente. Podría sonar como una buena idea tomar tres diferentes suplementos todos los días para tratar de aumentar tus niveles de energía, pero hazte la pregunta: ¿vas a hacer esto todos los días? ¿Para el resto de tu vida?

Por otro lado, si puedes obtener toda esta nutrición de

tu dieta simplemente comiendo una selección muy equilibrada de diferentes alimentos, entonces encontrarás que eres capaz de obtener una increíble gama de diferentes beneficios. Y la variedad también proporcionará otras ventajas. Muchos de los nutrientes que vas a obtener de una dieta equilibrada son cosas que ni siquiera conocemos todavía, por lo que ¡no podrías conseguirlos de los suplementos nutricionales incluso si lo quisieras!

Echemos un vistazo a algunos ejemplos de nutrientes cruciales que se obtienen de una buena dieta y que necesitas tener en cuenta para bajar de peso.

Colina: La colina es un nutriente crucial que se encuentra en los huevos. Éste es el precursor de un químico utilizado en el cerebro conocido como "acetilcolina". La acetilcolina es el neurotransmisor principal utilizado para la comunicación entre las células.

Cuanto más acetilcolina tienes en tu cerebro, más centrado, alerta y despierto estarás. Este nutriente ha demostrado impulsar la memoria, el coeficiente intelectual y más.

Creatina: La creatina es una sustancia maravilla que es increíblemente útil para una amplia gama de propósitos diferentes y que se utiliza popularmente entre los atletas.

El papel principal de la creatina es ayudar a las células a reciclar el ATP (trifosfato de adenosina) utilizado para proporcionar unos segundos de energía extra. Esto te permite correr más rápido por más tiempo y para levantar elementos más pesados. También se ha demostrado que mejora la atención y la concentración.

Ácido graso Omega 3: El ácido graso Omega 3 es un antioxidante que puede ayudar a proteger las células de los daños causados por los radicales libres y los oxidantes. Esto significa que puede ayudar a combatir los efectos del envejecimiento, mientras que al mismo tiempo puede reducir la probabilidad de cáncer. Los ácidos grasos omega 3 también pueden mejorar la comunicación entre células mejorando la permeabilidad de la membrana celular. Esto puede ayudar a mejorar el coeficiente intelectual. Omega 3 también es ideal para lograr una piel sana y articulaciones saludables.

Luteína: Es un carotenoide menos conocido que se encuentra en la mácula del ojo. Este es un gran micronutriente para reducir la probabilidad de mala visión al alcanzar una edad avanzada y también puede hacer muchas otras cosas. La luteína está vinculada con la eficiencia energética y la investigación ha demostrado que ayuda a perder peso y a correr más lejos por propia iniciativa.

Caseína: La caseína es un gran tipo de proteína que se encuentra en la leche (al igual que en el suero de leche). A diferencia del suero, la caseína se libera lentamente, lo que hace que sea ideal para consumir antes de acostarse. De esta manera conseguirás un suministro constante de proteína mientras estás en tu estado más "anabólico" (durante el sueño).

Triptófano: Se encuentra en numerosas proteínas y otros alimentos. El triptófano es un precursor natural de la serotonina, la que conocemos como la "hormona de la felicidad". Esto puede combatir la depresión, aumentar tu estado de ánimo e incluso ayudarte a dormir mejor por la noche (ya que se convierte en melatonina).

Shilajit: Este es un ejemplo impresionante del tipo de "power-up" que puedes obtener de la naturaleza si sabes dónde buscar y cómo obtenerlo. Shilajit es un "biomas rico en nutrientes" que se puede encontrar asomándose entre las altas rocas y grietas de las montañas en toda la India. Se ha demostrado ser eficaz para impulsar la energía celular y proporcionar beneficios antioxidantes y energéticos. En la India es a menudo llamado "el destructor de la debilidad".

Vitamina D: La vitamina D debe considerarse menos una vitamina y más una "hormona principal". Entre otras cosas, la vitamina D ayuda en la producción de testosterona que ayuda a aumentar la masa muscular, la pérdida de peso, los niveles de energía, la libido y mucho más. La vitamina D se produce principalmente en el cuerpo en respuesta a la exposición a la luz solar, aunque también se puede encontrar en los huevos. Un estudio reciente encontró que la vitamina D es necesaria para que las mitocondrias en las células se regeneren después de esfuerzo.

CoQ10: CoQ10 es otra sustancia que puede mejorar la energía celular por mejorar la eficiencia mitocondrial. Otro es PQQ. Estos han demostrado mejorar no sólo el funcionamiento atlético sino también la energía del cerebro.

Resveratrol: El resveratrol es uno de los antioxidantes más poderosos que podemos obtener de la dieta y es a menudo considerado como uno de los más importantes aspectos de la "Dieta Mediterránea". La Dieta Mediterránea es una dieta que consiste en alimentos similares a los de países europeos cálidos y la lógica detrás de esto es que estas culturas estadísticamente disfrutaban de una vida más larga y con menor incidencia de enfermedades del corazón (esto fue especialmente sorprendente cuando se pensaba que las grasas saturadas causaban problemas cardíacos).

El resveratrol no sólo es un potente antioxidante por derecho propio, sino también mejora el rendimiento mitocondrial de una manera que reduce la formación de radicales libres en primer lugar. Se ha demostrado que incrementa la duración de vida de las ratas de laboratorio de una manera similar a la restricción de calorías (la cual también aumenta la esperanza de vida).

Glutatión: El glutatión (GSH) se describe a menudo como el "maestro" antioxidante del cuerpo. Esta molécula ayuda a desintoxicar las células y a combatir las radicales libres y puede desbloquear todo el potencial de todos los otros antioxidantes en tu sistema. De hecho, sin niveles adecuados de glutatión, tu cuerpo no puede hacer pleno uso de ningún otro antioxidante de tu dieta. La vitamina C, el pescado, el resveratrol y más, todos se vuelven mucho más potentes cuando se combinan con un suministro de

Calcio: El calcio es uno de los minerales más importantes para fortalecer los huesos y el tejido conectivo. Se necesita un buen suministro de magnesio y vitamina D para que puedas sacar el máximo provecho de él.

Vitamina B: Las vitaminas del complejo de vitamina B incluyen B6, B12, tiamina, ácido fólico y riboflavina. Estas vitaminas se pueden utilizar para una serie de cosas, pero son particularmente potentes para convertir la proteína y el azúcar en energía y producir glóbulos rojos. En otras palabras, la adición de vitamina B a tu dieta mejorará el metabolismo energético y te ayudará a despertarte sintiéndote renovado.

Vitamina C: La vitamina C es un poderoso antioxidante que es bien conocido por ayudar en la defensa de todo tipo de enfermedades, también mediante el fortalecimiento del sistema inmunológico.

Asimismo ayuda a la producción de serotonina, lo que aumenta el buen humor.

Zinc: El zinc está implicado en la neuroplasticidad.

Eso significa que se hace más fácil aprender nuevas habilidades. También ayuda a aumentar la producción de testosterona y mejora la función del sistema nervioso central. Muchas personas tienen una deficiencia de zinc.

Acetil-L-carnitina: Este es un aminoácido que aumenta la concentración mitocondrial y por lo tanto mejora el metabolismo de la energía cerebral. A menudo se les da a personas con síndrome de fatiga crónica. Así es, cada uno de los 20 aminoácidos que necesitamos también proporcionan otras funciones cruciales en el cuerpo.

Óxido Nítrico: El óxido nítrico ayuda a mejorar el flujo sanguíneo alrededor del cuerpo actuando como un vasodilatador. Esto significa que ayuda a los vasos sanguíneos a ensancharse, permitiendo que más sangre fluya alrededor del cuerpo en cualquier momento dado. Esto no sólo puede ayudar en casi todas las funciones, sino que también tiene varias funciones importantes en el cerebro y se puede utilizar para ayudarnos a despertar en la mañana.

Podría seguir y seguir... pero lo importante es que uno de los principales objetivos de una dieta saludable siempre debe ser el suministrar al cuerpo de todos estos importantes tipos de nutrientes y minerales. Si lo haces, te sentirás cien por ciento mejor, vivirás una vida más prolongada y encontrarás más fácil el atenerte a una dieta saludable para bajar de peso.

¡Las calorías vacías son el enemigo!

Cuando ves tu dieta de esta manera, debe llegar a ser muy evidente que nuestra manera occidental de comer tiene muchos problemas.

La primera cuestión es que estamos demasiado centrados en la energía a corto plazo. Sabemos que tenemos hambre porque nuestros niveles de serotonina se agotan, y cuando llega ese momento nos sentimos motivados para aumentar esa serotonina para que nuestros niveles de energía suban tan pronto como sea posible. ¿Y cuál es la mejor manera de hacer esto? Comer una colación rápida, tal vez un simple carbohidrato tal como una barra de chocolate.

La serotonina se describe a menudo como la hormona de "sentirse bien" y está asociada con sentimientos de bienestar y felicidad. Generalmente pensamos en la serotonina como responsable de agradables estados de ánimo y como un neurotransmisor que tiene un papel importante en una serie de condiciones psicológicas.

La serotonina baja, por ejemplo, se correlaciona con la depresión.

Tal vez no lo sabías, pero la serotonina es también crucial para la regulación del hambre y juega un papel clave en nuestra saciedad.

Al igual que la grelina, la serotonina es una hormona que le dice al cerebro que estamos llenos y que no necesitamos comer más. Esto ocurre en parte a través de nuestro consumo diario de carbohidratos, la mayoría de los cuales (excepto las frutas) contendrán una cierta cantidad de triptófano. El triptófano es un aminoácido y también se encuentra en la proteína, pero sólo hay una pequeña cantidad de ella en la mayoría de los alimentos en comparación con otros aminoácidos, lo que le impide tener algún efecto mayor.

Cuando comes muchos carbohidratos, entonces, realmente inundas tu corriente sanguíneo con triptófano, y este permanece en la sangre una vez que la insulina entra en acción, por lo que comienza a absorber los nutrientes.

Esto conduce entonces a un exceso de triptófano que llega al cerebro y ¿divina qué pasa entonces? ¡Se convierte en serotonina! Esto sucede porque el triptófano es en realidad un precursor de la serotonina y uno de los principales elementos utilizados para crearlo.

Todo esto explica por qué tiendes a sentirte de muy buen humor cuando acabas de comer y por qué tu estado de ánimo puede desplomarse al suelo cuando empieza a bajar el azúcar en la sangre.

La buena noticia es que este es en realidad uno de los varios mecanismos que el cuerpo usa para decirte cuán lleno está. La leptina, por ejemplo, es otra hormona que se produce en el intestino y que le avisa al cerebro que deje de comer demasiado.

Pero también es cierto que estarás perdiendo al menos una señal de saciedad si te vas demasiado bajo en carbohidratos, así que ten esto en cuenta.

Otro dato muy importante: si te estás alimentando con una dieta que consiste principalmente de modernos aperitivos, entonces estarás inundando tu cuerpo con azúcar para luego sentir hambre nuevamente. Esto entonces significa que necesitarás merendar de nuevo. También significa que el cuerpo no consumirá la energía tan rápidamente como la recibe, lo que conduce a que se almacene como grasa.

Siempre es mejor usar una dieta compleja de carbohidratos en lugar de una que erradique completamente de la dieta todo este grupo de alimentos, y eso significa que necesitas comer alimentos como pan de centeno, patatas dulces y verduras en lugar de alimentarte con patatas fritas, pan blanco y pastas.

En realidad, hay algunas maneras de usar esta información estratégicamente a fin de evitar los retortijones de hambre y controlar mejor tu deseo de asaltar el refrigerador. El truco es simplemente comer una pequeña cantidad de carbohidratos cuando sientes mucha hambre y así ayudarte a aguantar hasta la próxima comida. De esta manera, una pequeña entrada puede realmente ayudarte a sentir mucho más lleno.

El problema más grande con comer cosas que nos dan una rápida "ayudita" es que ese tipo de alimentos a menudo no contienen ninguno de los nutrientes cruciales que describimos anteriormente.

Y aquí es donde entra la idea de "calorías vacías".

Las rosquillas que describimos anteriormente son un buen ejemplo. Como lo mencioné antes, podrías perder peso al comer sólo donuts, pero si lo hicieras, entonces estarías obteniendo cero nutrición. Eso significa que no habría ninguna proteína para construir músculos, ni vitaminas ni minerales para ayudarte a pensar mejor, sentirte de mejor humor ese día ni nada que el cuerpo necesite. Eso no sólo se aplica a los donuts, también se aplica a las comidas congeladas, la comida rápida y cualquier otra alimentado "procesado".

Cuando compras una lasaña ya hecha de la tienda, en realidad obtienes carne de baja calidad que se habrá mezclado con otras carnes y un montón de azúcar añadido.

A pesar de consumir un montón de carne picada, tu cuerpo realmente no será capaz de utilizar muchos aminoácidos u otros nutrientes. Las calorías son aumentadas y los beneficios nutricionales se reducen drásticamente.

Esto entonces significa que tu cuerpo no será tan eficiente a la hora de quemar la grasa porque tus mitocondrias no funcionarán muy bien, y porque tu metabolismo será ralentizado por los niveles deteriorados de testosterona.

Por cierto, si piensas que la testosterona, tiroides y otras hormonas no tienen un gran impacto en la pérdida de peso, simplemente pregunta a alguien que sufre de hipotiroidismo o considera la diferencia entre los endomorfos y ectomorfos naturales.

¡Y hay más problemas también! Cuando no recibes los nutrientes que necesitas, tu cuerpo realmente te hace anhelar todavía más comida. El cuerpo sabe lo que necesita y envía señales que te animan a querer comer esas cosas.

Es por eso que oyes historias de personas que comen sólo las partes seguras de los peces cuando están varados en alguna isla y es la razón por la cual las mujeres embarazadas tienen antojos.

Incluso hay una condición llamada 'pica', donde la

gente comienza a comer sus pelos o incluso la tierra, porque tienen deficiencias crónicas de nutrientes.

Nuestro cuerpo utiliza los sabores de los alimentos para saber lo que debe comer, pero esto crea más problemas ahora que hay tantos sabores artificiales disponibles en cualquier tienda de comestibles. En otras palabras, tú comes calorías vacías que hace que anheles vitamina C.

Eso te hace desear algo jugoso como una naranja, pero en lugar de beber un zumo bebes un refresco o una soda, que aporta más calorías y un aumento de energía. Esto desafortunadamente no ayuda a proteger tu sistema inmune y te deja con un deseo por más.

Te presento a Smita Koteshwara, una mujer con un estilo de vida muy activo durante toda su vida y que rondaba los 108 kilos después de dar a luz a sus trillizos.

Debido a su exceso de peso pronto se lesionó las rodillas y comenzó a caer en la depresión. Sus médicos se rindieron, pero ella no lo hizo. Un día volvió a trabajar y nunca volvió a mirar hacia atrás. Aquí te cuento cómo es que perdió más de 40 kilos con puro ingenio.

Ella comenta sobre su punto de inflexión: "Desde la edad de 16 años solía ejercitarme casi todos los días hasta que quedé embarazada de trillizos a la edad de

30. Durante mi embarazo, engordé enormemente, mucho más de lo que era necesario para un embarazo de trillizos. Para el cuarto mes ya estaba en cama y había dejado de caminar completamente.

Después de dar a luz a tres bebés sanos, mi cuerpo cambió drásticamente. Sufrí terribles pérdidas de sangre y un desgarro del ligamento de la LCA. Después de quedarme con las rodillas lesionadas durante casi 2 años, consulté a algunos fisioterapeutas, pero pronto se rindieron y me aconsejaron que fuera a una cirugía.

Tuve algunas inhibiciones contra un tratamiento quirúrgico, ya que tenía niños pequeños y mi familia no estaba en condiciones de manejar mis condiciones postoperatorias. Esto también me hizo renunciar a mi profesión médica y me dirigía rápida y seguramente hacia la depresión.

Luchando con mi sombría situación, me decidí a volver a mi rutina de ejercicios. Tomé algunos esteroides para mis rodillas con el fin de deshacerme de la hinchazón y comencé a hacer ejercicio con regularidad. Después de trabajar durante una hora y media por día durante 4 a 5 días a la semana durante un año, perdí 36 kilos.

Mi plan de comidas era el siguiente, como tenía un horario bastante ocupado atendiendo a mis bebés, no tenía tiempo para preparar comidas especiales para mí.

Me las arreglaba para mantener mi dieta baja en carbohidratos y comer light. Trato de comer cada dos horas.

Mi desayuno: 1 plátano y 2 tazas de café (1 por ciento de leche reducida en grasa) o 1 barra de cereal y 2 tazas de café. A veces elijo 1 rebanada de pan de trigo y 2 cucharadas de queso crema bajo en grasa y 2 tazas de café (ya que me encanta el café, no puedo dejarlo).

Mi almuerzo: Apenas tengo tiempo para hacer pan, así que normalmente tengo una tortilla de trigo, 1 taza de verduras y un plato de dal y raita. A veces como pasta con verduras salteadas con un vaso de suero de leche.

Bocadillo medio de la tarde: Un tazón de frutas.

Merienda: Una taza de té o café con 1 o 2 galletas.

Mi cena: Por lo general me siento a cenar alrededor de las 9 o 10 de la noche, porque mi horario no lo permite antes. Dos veces a la semana como 3 claras de huevo y 2 rebanadas de pan de trigo para la cena.

Mi entrenamiento: Una hora y media por día durante 4-5 días a la semana. Siempre empiezo con cardio, ejercicio elíptico de 20-30 minutos seguido de levantamiento de pesas, sentadillas, fortalecimiento de la base y ejercicios de abdomen. Trato de mantenerme activa durante mis sesiones de entrenamiento descansando sólo durante 30 segundos entre cada sesión, lo que me ayuda a mantener mi energía.

No creo en las recetas bajas en calorías, pero trato de mantenerme alejada del queso, los alimentos fritos y los dulces. Siento que si permanezco activa durante todo el día tiendo a quemar más calorías.

Se necesita perseverancia y paciencia para tener éxito en lo que haces. Solía sentir la humillación debido a mi aumento de peso y me sentía discapacitada e incapaz debido a mis rodillas desgarradas. No podía pasar tiempo de calidad con mis hijos y mi marido. Pero yo sabía que si quería una vida normal tenía que trabajar duro para lograrlo. Hoy, y después de un año de ejercicio vigoroso y un plan de dieta normal, me siento feliz y enérgica.

¿Cómo me mantengo motivada? Después de cada sesión de entrenamiento, me siento aún más fuerte. Siento una oleada de adrenalina por todo mi cuerpo. Cuanto más entrenas, más te deshaces de tus pensamientos, depresiones y debilidades. Por lo tanto, el entrenamiento en sí es mi motivación. Esto, junto con la compra de vestidos más pequeños en tamaño, me mantiene más determinada.

Las lecciones que aprendí al bajar de peso: he aprendido que el ejercicio no sólo ayuda para adelgazar, sino que también aumenta tu nivel de confianza. No hay un atajo simple y duradero como hacer ejercicio o tomar píldoras. Cuando empecé a cambiar mi dieta y complementarla con ejercicio, comencé a sentirme más feliz, y ahora estoy llevando una vida normal con un par de piernas mucho más fuertes.

3.

Cómo entender todos los factores para comer de manera sencilla y saludable

Hasta ahora te he dado mucha información, pero no te preocupes, las cosas se van a poner más simples en breve, cuando comencemos a ver cómo implementar toda esta información en una dieta saludable y fácil de mantener.

Así que en primer lugar, ¿qué es lo que necesitas recordar de toda esta información? Puede que aún estés desconcertado en cuanto a si debes centrarte en la reducción de calorías o evitar carbohidratos simples.

¿La respuesta simple? ¡Ambos! Y también necesitas cerciorarte de que estás recibiendo un montón de nutrientes de tu dieta y muchas proteínas.

¿Suena duro? No tiene que serlo, en absoluto. Sigue estos pasos:

Paso N° 1 - Déficit de calorías

Como ya lo mencioné, en realidad puedes estar bastante segura de que estás por debajo de tu TMA al simplemente comer menos de 2.000 - 2.500 calorías diarias.

Otra opción es trabajar con tu TMA siguiendo las instrucciones del capítulo 1, o usar un 'fitness tracker' (dispositivo que monitorea tu actividad) por un tiempo determinado.

Cualquiera sea el método que elijas obtendrás un número que necesitas no sobrepasar, y tu primera misión es hacerlo. Esto no significa que tienes que contar las calorías, puedes simplemente aprender algunas comidas consistentes para tu desayuno y almuerzo que sumen menos de 1.200 calorías. Con tal que no comas entre comidas y que te alimentes con una cena relativamente sana (es decir, nada precocinado o con 200 papas fritas) entonces puedes asumir con seguridad que normalmente estarás por debajo de tu objetivo. Eso quiere decir que la mayoría de las comidas principales no deben exceder las 800 calorías.

Sabemos que de todos modos no puedes contar exactamente tus calorías (estas varían, al igual que la absorción en la sangre), pero si sólo permaneces en gran medida por debajo del objetivo, puedes estar seguro de que estás más cerca de tu meta. Y hacer esto con un almuerzo consistente y un desayuno nutritivo es una muy buena estrategia, ya que a menudo se tiende a comer "socialmente" en las tardes y esperamos comidas más elaboradas e interesantes después de las 19 hs.

Paso N° 2 - Recorta todos la comida chatarra

Lo siguiente que tienes que hacer es cortar con toda la comida basura. Hemos visto cómo este tipo de alimentos son simplemente calorías vacías que nos hacen tener más hambre, así que toma la decisión y deja por completo de consumir ese tipo de comidas.

La forma en que las personas que siguen la dieta "paleo" logran esto es evitar cualquier comida que no ha estado disponible durante nuestra evolución. No hay razón para ir tan lejos porque los alimentos como la leche y el pan están absolutamente bien.

Y si algo es hecho por el hombre pero está bien hecho, entonces está bien. Pero evitando los dulces procesados, las comidas preparadas y los alimentos de preparación rápida entonces generalmente puedes deshacerte de las calorías vacías de tu dieta.

Del mismo modo, no evites completamente los carbohidratos (proporcionan una tonelada de beneficios y necesitamos esa energía), solo que asegúrate de limitar tu consumo de carbohidratos "simples" como pan blanco, pastas blancas o barras de chocolate. También puedes hacer esto en gran medida si adoptas una dieta de hidratos de carbono de origen natural.

Me gusta referirme a esto como una "dieta agrícola". No evites nada hecho por el hombre o cualquier cosa que surge después de nuestra evolución en la naturaleza. Más bien evita las cosas que no se podían hacer con la ayuda de poco de cultivo. Y esto tiene sentido desde una perspectiva evolutiva también, ya que se piensa que la capacidad de los occidentales para digerir la leche (gracias a la enzima lactasa) es el desarrollo evolutivo más reciente.

Paso N° 3 - Busca alimentos llenos de nutrientes

El paso final es intentar cerciorarte de que te sientes bien siempre. La mejor manera de hacerlo es buscar alimentos que ofrezcan una fuente de nutrientes beneficiosos.

Un gran ejemplo de esto es algo como una carne de vísceras que está llena de nutrientes increíbles. No sólo obtienes todos los aminoácidos que vienen de la carne, sino que también obtienes altas cantidades de creatina, CoQ10, PQQ y ácidos grasos. Esto tiene sentido cuando lo piensas de nuevo: estas son las partes más cruciales y complejas de esos animales y consisten de cosas similares a las partes más complejas y cruciales de tu propio cuerpo.

No es tan simple como "comer cerebros te dará un mejor cerebro", pero es algo parecido.

Del mismo modo el consumo de huevos, pescados, frutas tropicales, verduras y plantas marinas ayudará a alimentar tu cuerpo con todo tipo de nutrientes esenciales. Asegúrate de mezclar todo esto junto con carbohidratos complejos o fibras para absorber los nutrientes y también de agregar aceite o consumir otra fuente de grasa saturada con el fin de ayudar a la absorción.

Esta es otra razón por la que la Dieta Mediterránea encaja muy bien, porque implica un montón de ensaladas, muchos súper alimentos, muchos peces y utiliza un montón de aceite, con el fin de hacer la absorción más fácil. Asimismo, los que siguen la dieta Paleo y comen muchas carnes de vísceras y otros elementos parecidos también se benefician de esto.

Si haces el esfuerzo para seguir este plan de comidas sanas, entonces tendrás una nutrición mucho mejor y sentirás que estás llena de energía y protegida de cualquier enfermedad. Al mismo tiempo disfrutarás realmente de tus comidas y no tendrás retortijones de hambre ni tampoco antojos.

Pamela Smith Finkelman nos cuenta su historia: "He estado con sobrepeso la mayor parte de mi vida, agradablemente rellenita cuando niña, fornida cuando estaba de novia y finalmente obesa para cuando llegué a los 50.

Dos eventos me motivaron para finalmente aprender cómo vivir más saludablemente y perder peso para siempre: me dí cuenta de que me veía obligada a comprar mi ropa en la sección de tamaño "Grande" y "Extra Grande" de los grandes almacenes, y el compromiso de boda de mi hijo mayor.

Las fotos son para siempre, y la idea de esconderme en el fondo de todas esas fotos de bodas me causó una profunda depresión del alma. En enero del 2007 entré en una reunión de "Weight Watchers" y comencé un importante proceso de educación, centrándome en cómo comer bien, hacer ejercicio y prestar atención a mi apetito emocional.

Llegué a Lifetime en 2008 y trabajé para la Compañía WW durante cuatro años. Ahora que soy una abuela estoy encantada de tener la energía y la fuerza para cuidar a mis nietas, y la satisfacción de entrar en pantalones vaqueros de talle 10. Aunque no tengo el proverbial hueso atlético en mi cuerpo, puedo caminar.

El senderismo ha demostrado ser una de las grandes alegrías y logros de mi vida. Con mi esposo hemos ido de vacaciones de senderismo muchas veces y esperamos viajar muchas millas más.

Una ventaja adicional: puedo caminar todo el día y luego disfrutar de una gran comida con vino ¡y llegar a casa con el mismo tamaño de pantalones vaqueros!"

Resumen simple

Haciendo una breve síntesis de lo que acabamos de ver en este capítulo, podemos concluir que esto es lo necesario:

Consume menos calorías siguiéndolas y sin contarlas. Deshazte de los carbohidratos vacíos y los alimentos procesados. Busca carnes de vísceras y otros alimentos "apropiados".

¡Es realmente así de simple! Toma los mejores trozos de cada dieta (baja en carbohidratos, baja en calorías, lenta en carbohidratos, atkins, baja en grasa, paleo, mediterránea) e ignora los disparates.

Y en realidad sólo equivale a comer una buena mezcla de alimentos saludables y naturales de manera que tú puedes disfrutar de ellos.

En la próxima mitad de este libro veremos cómo hacerlo de forma más sencilla y fácil.

*****

4.

Cómo cocinar más rápido y pasar menos tiempo en la cocina

He dado un montón de razones complicadas en cuanto a por qué comer una dieta simple, limpia y saludable que obra maravillas. Pero si la mejor dieta es esencialmente la que todos conocemos, ¿por qué hay tanta gente atraída a dietas desequilibradas como ayunos de jugo o esas dietas que implican ignorar completamente grupos de alimentos enteros?

La respuesta simple es que la gente quiere una "solución rápida". A nadie le gusta la idea de tener que trabajar duro en una dieta de forma permanente, o que los resultados no se vean enseguida.

Y sin duda muchos lectores, al haber llegado hasta este punto ahora se preocuparán pensando que estoy diciendo que básicamente deberán cocinar mucho más y pasar más tiempo en la cocina.

Pero esto no es cierto. ¿Recuerdas a Janki, la estudiante que perdió 20 kilos y que nos compartió su historia al principio de este libro?

Cuando le preguntaron qué hacía para mantenerse motivada, ella respondió: "Después de conseguir mi título de Bioquímica, terminé haciendo un curso de nutrición. En este momento estoy estudiando para farmacéutica y trabajo como entrenadora (couching) en línea. Ver a mis clientes lograr sus metas es mi mayor motivación para permanecer en este buen camino de la nutrición saludable y trabajar duro. Una vez que empiezas a ver los resultados de la nutrición adecuada y los frutos del plan de entrenamiento, comienzas a ser adicto al proceso.

¿Cómo me aseguro de no perder el enfoque? Tener una mentalidad positiva y creer en ti mismo nunca te permitirá perder el enfoque en tus metas. Hago mi plan y trabajo duro para lograr el objetivo.

¿Cuál es la parte más difícil de tener sobrepeso? Hay una larga lista en cuanto a esto. Una de las primeras cosas es que te enfrentarás a muchos y serios problemas de salud. Es desalentador cuando no encajas en un vestido que te gustó en el centro comercial. Tus amigos y parientes te llaman por diferentes nombres y apodos. Pero al final todo tiene que ver con cómo lo tomas. O te sientas y lloras por tu situación o trabaja duro y constante para alcanzar tu meta."

Cuando le preguntaron a Janki cuáles fueron los cambios que hizo a su estilo de vida ella respondió lo siguiente: "El cambio de estilo de vida más importante que he hecho es ser paciente y disciplinada. Tendemos a seguir un plan y no continuar porque esperamos resultados instantáneos y cuando no los vemos tendemos a renunciar. Yo creo en no restringirte a ti mismo cuando decides estar saludable. Es un cambio de estilo de vida y uno no puede sobrevivir sólo con verduras y ensaladas por mucho tiempo. Por lo tanto, la clave es la moderación. Come sano todo el tiempo pero regálate un premio de vez en cuando.

Lecciones que aprendí al perder peso:

1. No tomes tu salud por sentado.

2. No hagas dieta de choque sólo por hacerlas. Todavía puedes comer y aún así perder peso.

3. No seas tan dependiente de la balanza. Céntrate en los cambios globales y en las estadísticas corporales.

4. Entrena para estar en forma y no para estar delgada."

La parte más importante de cualquier dieta es la persistencia. ¡No tiene sentido que yo te dé la dieta perfecta si no puedes mantenerte en ella! Si no vas a cocinar comidas regulares, entonces no tiene sentido que te lo diga.

Es por eso que este capítulo es en realidad uno de los más importantes. Ahora voy a decirte cómo hacer este tipo de comidas saludables mientras pasas menos tiempo en la cocina

Los mejores trucos para pasar menos tiempo cocinando

Hacer mucha cantidad

El primer consejo es simple: ¡cocinar cacerolas masivas de todo! Esto puede sonar un poco extremo, pero en realidad es una de las mejores maneras de pasar menos tiempo cocinando.

Esto es porque ahora puedes tomar tu enorme cacerola y en realidad comer de ella en múltiples ocasiones. Cocina un guiso grande, por ejemplo, y luego puedes congelar o enfriar el resto y comerlo durante toda la semana.

De esta manera sólo cocinas una vez, pero lo comes en varias noches. Recalentar algo que hiciste durante un día libre será realmente igual de fácil que cocinar una de esas "comidas listas" que vienen para el microondas.

Consigue las herramientas adecuadas

Es tan molesto cuando una "receta de 10 minutos" incluye instrucciones como "ahora tome su cebolla picada". Claro, ¡puede que tarde 10 minutos en cocinar esa receta, pero sin contar toda la preparación!

Afortunadamente hay herramientas que pueden ayudarte a reducir todo ese tiempo de preparación. Busca procesadores de alimentos y otros aparatos que te ayudarán a cortar, pelar, cortar en daditos y hacer puré y te podrás ahorrar unas cuantas horas en la preparación de las recetas. Una batidora y cualquier elemento que te ayude a ganar tiempo es una gran inversión.

Sistemas de implementación

Junto con tus nuevas herramientas, también necesitas pensar en los sistemas que utilizas para cocinar. En otras palabras, ¿cómo encajan estas máquinas en el flujo de tu trabajo y cómo te ahorrarán tiempo? ¿Qué otras máquinas y electrodomésticos podrían ayudar más?

También debes pensar en cómo se puede organizar tu

cocina para asegurarte de que no pasas horas buscando lo que necesitas.

Por ejemplo, mantener todos los aparatos y herramientas que utilizas con mayor frecuencia en el armario más cercano en la parte delantera te ahorrará tiempo inmediatamente. Igualmente tener un lugar más amplio para colocar los platos mojados (o un lavavajillas: otra fantástica inversión) te asegurará de que puedas lavar más rápido y más fácil. Así también una procesadora de alimentos.

Limpiar a medida que uno vaya trabajando puede sonar como un consejo aburrido que tus padres solían darte, pero realmente funciona.

Todo el mundo trabaja de manera diferente y todo el mundo se ralentiza por diferentes aspectos del proceso de cocción. Así que echa un vistazo a tus propias rutinas e intenta identificar las partes que están disminuyendo tu velocidad. Ahora decide cómo vas a mejorar estas cosas que te hacen perder el tiempo con nuevos sistemas y electrodomésticos.

Pensar creativamente

Estamos muy limitados por nuestras propias rutinas, cultura y expectativas cuando se trata de lo que comemos. Por ejemplo, cuando quieres hacer una cena que puedes hacer muy fácilmente y que proporcionará mucha nutrición, puedes descartar la opción de hacer un sándwich.

Pero si haces un sándwich saludable esta puede ser una opción rápida y fantástica. Así que no creas que "sándwiches son para el almuerzo, y no la cena"; piensa más bien en lo que es práctico, sabroso y saludable. Sé creativo y piensa cómo hacer algo diferente.

Almacena los ingredientes adecuados

A veces estarás limitado por lo que puedes hacer porque no tienes los ingredientes en casa. Y salir a las tiendas lleva mucho tiempo y energía.

Así que para evitarte un viaje indeseable al supermercado, asegúrate de tener muchos productos almacenados. No toda la comida enlatada es mala y se mantiene durante mucho tiempo. Los frijoles, por ejemplo, son siempre una buena idea. Del mismo modo debes asegurarte de mantener un poco de puré de tomate en el armario, junto con leche de larga duración, huevos, arroz integral, latas de atún, pasta integral, etc. Se trata de crear como un "armario de cápsulas", que incluya los alimentos que se pueden combinar en número sorprendente de maneras saludables.

Aprende algunas comidas sencillas y saludables

Otro consejo es aprender algunas recetas simples y fáciles que tú puedas hacer en cualquier momento. Ten siempre a mano una "lista" de estas comidas en las que puedas confiar y que te ayudarán a obtener el máximo beneficio con una inversión mínima de tiempo.

Te compartiré más detalles de este tema en los próximos capítulos.

Gestiona el tiempo y la energía

Ten en cuenta que todo esto realmente implica una buena administración del tiempo y la energía. Con el fin de hacer grandes comidas saludables en la noche es necesario asegurarse de tener el tiempo disponible.

Lo que realmente debes tener en cuenta es que necesitas tener la energía disponible. Incluso con todo el tiempo en el mundo, si te sientes completamente agotado cuando el día llega a su fin, entonces seguramente vas a querer descansar en la noche, y podrías encontrarte tentado a comer bocadillos de comida chatarra para animarte rápidamente y "no perder tiempo" cocinando.

Una gran ayuda al intentar cambiar tu dieta es no ser demasiado ambicioso al principio y no ser demasiado duro contigo mismo. Tomemos el enfoque "kaizen" de hacer cambios pequeños y adaptables en tu rutina que te ayudarán poco a poco a mejorar tu base de fuerza, energía y bienestar.

Otro consejo es que necesitas echarle un buen vistazo a tu estilo de vida y a tu rutina diaria. Bien puede ser que existan muchas cosas que te hacen sentir muy cansada y estresada, y que debido a esto sientes que te es más difícil cocinar lo que quieres comer.

Por ejemplo, si tienes un viaje largo de una hora a casa desde el trabajo, esto es algo que debes considerar cambiar seriamente. Y si tienes demasiados compromisos sociales, trata de aprender a decir "no" un poco más.

Hasta cierto punto, un cambio de estilo de vida exitoso siempre va a significar decidir lo que deseas priorizar. Con suerte la mayoría de la gente estará de acuerdo en que priorizar tu salud es una buena estrategia.

*****

5.

El Desayuno: Opciones sencillas para comenzar bien el día

Con todo lo dicho, es hora de empezar a aprender algunas recetas fáciles y las comidas que podemos preparar rápidamente para la máxima densidad de nutrientes y el mínimo ingreso de carbohidratos.

Comencemos con el principio, con el desayuno. Aquí hay algunas cosas que puedes consumir para el desayuno que te ayudarán a comenzar tu día con 200-300 calorías y también fortalecer tu cuerpo.

Pomelo

Comer un pomelo para el desayuno es popular en el Mediterráneo y es una gran opción si estás perdiendo peso. Los pomelos tienen muy pocas calorías y además tienen el beneficio añadido de aumentar el metabolismo para quemar más calorías.

A pesar del aporte de pocas calorías, sin embargo, proporcionan muchísima nutrición en la forma de potasio, licopeno, vitamina C y colina. Ellos también son muy buenos para tu presión arterial.

Y cortar un pomelo por la mitad toma aproximadamente 10 segundos...

El Cereal Nootrópico

Lo llamo el "cereal nootrópico" porque contiene varios ingredientes que le pueden dar a tu cerebro un impulso de energía en la mañana.

Toma un poco de muesli y agrega algunas uvas, un poco de plátano picado y algunas semillas de girasol. Métalo en un recipiente y luego agrega un poco de leche. Esto te llenará, te rehidratará y te proporcionará una liberación constante de energía durante todo el día. También resulta ser muy delicioso y la textura que le dan las uvas y las semillas es adictivo.

Avena

Desayunar con avena es una de las mejores maneras y más fáciles de llenarse con un carbohidrato complejo para una liberación constante de energía durante todo el día.

Croissant de jamón y queso

Compra u hornea un croissant o dos, córtalos por la mitad y luego añade un poco de jamón y queso. La combinación de dulce y salado satisface increíblemente y la proteína ayudará a que te sigas sintiendo lleno.

¿Es esto una comida saludable, propiamente dicha? No totalmente, el croissant, por ejemplo, está cubierto de mantequilla (saludable pero alta en calorías) y es un carbohidrato simple.

Sin embargo, esto es también una comida sabrosa que satisface y que proporciona algunos nutrientes diferentes e interesantes. Si sólo consumes uno, entonces el conteo de calorías todavía no será mucho más de 200 hasta ahora.

Y lo que es importante: está bien quebrar las reglas si al mismo tiempo que monitoreas las calorías estás obteniendo tu nutrición. A veces desearás un pequeño capricho y esta es una gran manera de conseguirlo.

Huevos Royale

Aquí hay una comida que está absolutamente llena de nutrientes y aminoácidos, y que también sabe deliciosa. Prepara algunos panes tostados (pan de centeno si quieres los carbohidratos lentos) y luego pon un poco de salmón en la parte superior. Ahora agrega un huevo escalfado (poché) y espolvorea con algunas semillas. Si quieres añadir algunas calorías extras, entonces sólo un chorrito de salsa holandesa le da un buen toque, aunque el vinagre también logrará un truco similar.

Esta es una opción brillante porque te da el "30 antes de 30". Eso es, 30 gramos de proteína dentro de los 30 minutos después de despertar, según lo recomendado por Tim Ferriss. Esto es ideal para prevenir los retortijones de hambre y para aumentar el metabolismo.

Y esta comida también te dará muchísimos aminoácidos, ácidos grasos, colina, potasio y más. Quita el salmón y tienes la receta de unos riquísimos huevos benedictinos.

Huevos revueltos

¡Un clásico simple y fácil! Sólo fríe algunos huevos mezclados con un poco de leche y sal en una cacerola engrasada con mantequilla. La mantequilla aumentará un poco el recuento de calorías, pero los huevos son grandiosos para proporcionar nutrición y la comida te llenará de una manera satisfactoria.

Aguacate relleno

El aguacate es una excelente fuente de los mejores tipos de grasas, y con apenas algunos carbohidratos. Aumentan la testosterona, mejoran la presión de la sangre y te mantienen sintiendo lleno. También son rápidos para preparar y muy deliciosos.

Para el desayuno, corta un aguacate por la mitad y sácale la semilla. Ahora ahueca una pequeña sección en el centro y añade algunos atunes, o tal vez un poco de arroz con sabor o incluso un huevo revuelto. Un aguacate sólo contiene 160 calorías, pero aún la mitad te mantendrá bien.

Smoothie

Un batido de frutas y verduras es una buena forma de llenarse con nutrientes y refrescarse con un gran suministro de azúcar natural para el día. Si deseas reducir el azúcar, puedes hacer tu batido con más verduras (y el aguacate es una buena opción para hacer tu bebida más cremosa).

El mayor problema con los batidos es que involucran

mucho lavado y preparación. Una opción es comprar uno en el camino al trabajo y la otra es comprar esas batidoras personales si prefieres hacerlo tú misma, ya que sólo debes introducir los alimentos en el vaso largo, presionar un botón y listo, ya tienes tu batido.

Batido de proteínas

Como he dicho antes, los que siguen la dieta paleo exageran un poco al evitar todo lo que sea hecho por el hombre. Algunos alimentos y bebidas hechos por el hombre son realmente muy buenos para ti. Este es un ejemplo perfecto de cómo obtener de forma rápida todos los aminoácidos que necesitas y a menudo enriquecidos con creatina, aminoácidos de cadena ramificada y más.

6.

El Almuerzo: Recetas Sencillas que cualquiera puede disfrutar

Pasta con atún

Cuando se trata de alimentos que ayuden al cerebro, el atún es uno de los reyes gracias a su alto contenido de omega 3. La pasta, mientras tanto, es buena como fuente de carbohidratos complejos, especialmente cuando hace frío.

Para hacer esta receta, simplemente mezcla algunos trozos de atún con un poco de mayonesa y rábano (esto es esencial) y luego añádelos a una olla de pasta cocida y cebolla. Puedes hervir la pasta con la cebolla para ahorrar tiempo.

Utiliza pasta integral para hacer esto un poco más saludable y considera agregar un poco de maíz dulce.

Sándwiches

Si eliges el pan adecuado, entonces no hay razón para que un sándwich no pueda ser perfectamente saludable. Sólo elije alguna forma de carne para tu ingesta de proteínas y agrega mucha ensalada.

¿No estás convencida? Entonces, ¿por qué no hacerlo sin los carbohidratos quitando el pan del todo? Puedes utilizar dos hongos grandes para mantener tu relleno en su lugar, por ejemplo, o envolver tu sándwich en una gran hoja de lechuga. Cualquiera de estas opciones agregará una nutrición adicional a tu comida.

Brochetas de jamón, pepino, aceituna y tomate

Los ingredientes ya están mencionados en el título así que no voy a repetirlos aquí, pero basta decir que otra gran manera de disfrutar de unos buenos rellenos sin los carbohidratos del pan es simplemente utilizar un pincho y crear un cóctel.

Envoltura de falafel

Lo único que hace falta es algo de falafel, algo de ensalada, algunos tomates picados y una pequeña cantidad de humus. Añadir a un envoltorio (puede ser una tortilla mexicana) o un pan pita y tienes una deliciosa y conveniente comida que se puede disfrutar en una mano mientras compras o llamas a un amigo.

Ensalada César de pollo

La ensalada no siempre es el almuerzo más emocionante, pero una buena ensalada César lo puede ser si lo haces bien y es sin duda muy saludable. Sólo hace falta tomar algunas hojas mezcladas y un poco de pechuga de pollo ya cocinada. Luego mezclar con un poco de mayonesa César, algunos croutons y uno o dos tomates cherry.

Esta comida está llena de nutrientes, es fácil de hacer y es sorprendentemente deliciosa. No olvides de llevar un tenedor.

Ensalada griega

Una ensalada griega es muy diferente a la clásica ensalada César y ofrece aún más nutrición. Toma algunos pimientos naranjas o amarillos, algunos pepinos y algunos tomates, Pícalos antes de ponerlos en un tazón. Ahora agrega un poco de aceite y una pequeña cantidad de queso feta.

A menudo una buena manera de saber si una comida es rica en nutrientes es ver los diferentes colores. Aquí tienes muchos colores diferentes que te dicen que es una comida muy variada.

Huevos hervidos

En lugar de un paquete de patatas fritas, disfruta de tu bocadillo o ensalada con dos huevos duros. Esto te dará algunos aminoácidos fáciles, colina para el cerebro y grasa saturada para la absorción de los nutrientes y los niveles de testosterona.

Trata de mantenerte bastante consistente con tus almuerzos. Calcula las calorías de cada una de tus opciones favoritas y de esa manera sabrás en qué número vas al tiempo que llegas a la cena y no tendrás que contar las calorías.

Los almuerzos y los desayunos son generalmente comidas funcionales. Mientras que la cena es generalmente un tiempo de calidad con la familia o los amigos y una ocasión de relajarse. Estas dos comidas simplemente sirven un propósito. Eso las hace perfectas para conseguir que tu dieta comience bien cada día.

*****

7.

La Cena: Recetas fáciles

Si has utilizado las opciones de los dos últimos capítulos para tu desayuno o almuerzo (o algo similar) entonces debes estar en alrededor de 600-800 calorías para el final del día.

Esto significa que puedes disfrutar de todo tipo de comidas indulgentes para la cena sin preocuparte de que superarás las 2.000 / 2.500 calorías.

Siempre y cuando comas saludablemente, es decir, sin comidas preparadas, entonces hay muchísimas cosas que puedes disfrutar y que serán perfectas para comer con tu familia. Aquí hay algunas recetas rápidas y fáciles.

Carbonara

Uno de mis favoritos personales, carbonara proporciona nutrientes del huevo, el queso y la cebolla, y es una comida muy satisfactoria sin ser demasiada alta en calorías.

Si prefieres no utilizar tocino puedes cambiarlo por el jamón.

Simplemente toma un poco de cebolla picada y tocino y fríelos hasta el punto donde están casi quemados (agregando aceite). Mientras tanto, hierve una pasta integral.

Cuando la pasta esté lista, escúrrela y añádela a la sartén. Ahora ralla un poco de queso en la parte superior y mézclalo.

A continuación apaga la hornalla y agrega un solo huevo batido. Asegúrate de mezclar bien toda la pasta a fondo. Servir rápidamente.

Pizza casera

Una cosa que puedes haber notado sobre este libro de dieta es que te permite algunas de las comidas que podrías haber pensado anteriormente como prohibidas o malas para ti. Pero siempre y cuando estás recibiendo mucha nutrición y no te consientes demasiado, muchas de estas cosas son realmente buenas cuando las haces tú misma.

Considera la pizza, por ejemplo. Simplemente compra una base de pizza y luego agrega la cobertura que quieras. Esto puede incluir cosas como tomate, pimiento, piña (rico en bromelina) y pollo. Todos estos ingredientes son muy buenos para tu cuerpo.

Boloñesa

Otra comida de pasta muy saludable es la Boloñesa, y esta también es fácil de hacer. Simplemente cocina un poco de carne molida con cebolla y hiérvelos con una pasta integral. Añade una lata de tomates picados y calienta hasta que esté listo.

¿Apurada? Sólo prepara algunos frijoles en tostadas. Los frijoles son una buena fuente de proteínas y están llenos de otros nutrientes. También son relativamente bajos en calorías y es muy fácil de prepararlos.

Papa horneada

Del mismo modo es fácil hornear una papa y agregarle frijoles. Mientras que la papa es un carbohidrato simple (y no uno de tus cinco al día), contiene algunos nutrientes útiles y la cáscara te ayudará a ralentizar la absorción. Puedes cubrirla con algunas opciones saludables, como atún, huevo o frijoles.

Calamares, chorizo y ensalada Haloumi

Este plato es un poco más ambicioso, pero es delicioso. Toma unas hojas de ensalada y mezcla con algunos pimientos rojos picados y tomates cherry cocidos al horno.

Ahora te toca freír algunos chorizos, calamares y halloumi en rodajas finas y añadir a la mezcla. Agrega un aderezo hecho de vinagre y aceite vegetal, y ¡a disfrutar!

Salteado

Simplemente debes freír algunas verduras y frijoles en una cacerola y luego añadir algunas tiras de carne o pollo y algo de salsa de soja.

Pescado y ensalada

Otro muy fácil. Sólo toma un poco de pescado ya preparado, como el salmón o la caballa, y luego disfruta con una ensalada. Esto puede dejarte un poco hambriento, pues el pescado no brinda mucha saciedad, así que trata de añadir un poco de aguacate a la ensalada.

Bistec y ensalada

Leíste bien, y es que el bistec es bueno para ti. Realmente bueno, de hecho. Contiene grasa saturada como hemos visto, pero eso no es nada malo. También obtendrás creatina, aminoácidos, PQQ, CoQ10 y más.

Del mismo modo, puedes colocar otras carnes con ensaladas para comidas fáciles. Como por ejemplo el jamón, que es una gran carne magra para mantener las calorías al mínimo. La chuleta de cerdo es otra opción.

Arroz al vapor y pollo

Si quieres sentirte realmente saludable y comer algo que es bajo en calorías, entonces prepara un poco de arroz con verduras al vapor y mézclalos (guisantes, brócoli y maíz dulce son otras buenas opciones). Mezclar y luego colocar uno o dos pechugas de pollo hervidas en la parte superior. Añade un poco de pimentón para mejorar el sabor.

8.

Postres y Meriendas: Recetas saludables sin sentirse culpable

A veces necesitarás darte un capricho o tener una dosis rápida de azúcar. Después de un día duro, cuando tu motivación está a la baja o simplemente para romper con todo lo de la alimentación saludable, comer un postre ocasionalmente no es un crimen.

Si quieres mantenerte tan sana como sea posible, sin embargo, entonces también hay muchas opciones de postres saludables que puedes disfrutar. Veamos algunos.

Ensalada griega y arándanos

Sólo consume un poco de ensalada griega y cubre con algunos arándanos. Esto es también una opción excelente para el desayuno y es mucho más satisfactorio de lo que suena.

Ensalada de frutas

Claro, esto suena como que no satisface mucho... pero todo depende de cómo la haces.

Cereal

¿Recuerdas lo que dije unos cuantos capítulos atrás sobre ser creativo? El cereal es una buena opción para el postre porque normalmente contiene menos de 250 calorías por porción y es muy sabroso.

Helado

En realidad el helado no es el peor postre del mundo cuando lo disfrutamos con moderación. Esto es especialmente cierto si eliges un sorbete afrutado como el limón (el cual también es muy refrescante).

Chocolate negro

No soy lo suficientemente cruel como para sugerirte

que quites el chocolate por completo de tu dieta. Pero cuando lo consumes, trata de elegir el chocolate negro. El chocolate negro contiene menos azúcar y también es rico en numerosos otros ingredientes beneficiosos como la teobromina, que puede mejorar el funcionamiento del cerebro y te da una especie de impulso "relajado" de energía.

Cómo hacer una merienda

Al igual que a veces necesitas un postre, a veces necesitarás una merienda entre comidas para evitar los retortijones de hambre. Nuevamente, hay un montón de maneras fáciles y saludables de hacer esto.

Semillas de girasol

Llenan más de lo que suenan, y también proporcionan varios beneficios tales como potasio y zinc. Mantén una bolsa en tu escritorio para merendar en el trabajo.

Patatas fritas de verduras

Puedes comprar este producto en una tienda o tratar de hacerlos tú mismo.

Estos proporcionan el crujiente y satisfactorio golpe de sal que dan las patatas fritas. Pero están llenas de mucha más nutrición en forma de vitaminas y minerales.

Nueces

Las nueces contienen un poco más de calorías que las semillas de girasol, pero ofrecen muchos de los mismos beneficios en cuanto a nutrientes y están libres de carbohidratos. También son una buena fuente de ácidos grasos omega 3.

Pasas

Si necesitas algo dulce, entonces un puñado de pasas de uvas te dará algo de resveratrol, un poco de azúcar y te sentirás mejor.

Batido de proteínas

El ya mencionado batido de proteína de suero es una gran fuente de proteína y a menudo sorprendentemente delicioso (sabe como un batido). Consumir con agua para mantener las calorías bajas y buscar una opción de bajas calorías si deseas perder peso.

Apio con Humus

Esto agregará algunas calorías pero no sumarán mucho a tu total diario. El humus puede ser opcional.

Palitos de zanahoria

La zanahoria cruda está llena de vitamina A y otros nutrientes esenciales. Es conveniente para comer, y satisface mucho.

*****

9.

Otras maneras de obtener comidas saludables

Hasta ahora te he recomendado encarecidamente cocinar un poco más y hacer tú misma más comidas. ¿Por qué? Porque de esa manera se pueden evitar los alimentos procesados y las comidas ya preparadas con el fin de saber exactamente lo que consumes en tu dieta.

Lo que realmente importe no es cómo obtienes la comida, sino el resultado final en términos de calorías y nutrición.

Y hay muchas otras maneras que puedes comer igual

de sano, que será a menudo más conveniente y mucho más sencillo.

Por ejemplo, si estás considerando ir a comer afuera, hoy en día muchos lugares tienen barras de ensaladas que permiten servirse uno mismo cualquier ensalada de hojas, aperitivos de verdura, huevos, pasta y mucho más por precios muy baratos. Si puedes encontrar uno de estos lugares cerca de donde trabajas, entonces esto será una gran manera de ahorrar tiempo y obtener un almuerzo barato y más saludable.

También hay lugares que preparan platos bajos en calorías y muchas veces con el envío a domicilio incluido. Ahora es más fácil encontrarlos online. Si te lo puedes permitir, es una manera de simplificar el proceso de comer sano y especialmente si eres un profesional ocupado y con poco tiempo.

Básicamente estas empresas traerán comidas recién hechas a tu puerta cada día, las cuales han sido diseñadas para ser bajas en calorías y altas en nutrición.

Algunas versiones alternativas traen los ingredientes recién preparados a tu casa para que tú hagas la última parte de mezclarlos junto con la cocción.

Comer fuera

Comer fuera también puede caer en esta misma categoría. Si sabes a dónde ir, comer fuera de casa a veces puede ser una gran manera de obtener una comida nutricional, baja en calorías y también a buen precio.

Del mismo modo, comer fuera también puede tener el impacto contrario en tu dieta. Algunas personas tendrán dificultades para mantenerse dentro de sus metas si son invitadas a menudo por amigos.

La respuesta es simplemente cómo comer fuera y dónde ir. Obviamente, puedes ahorrarte muchas calorías y obtener un plato más nutritivo si tomas una sabia elección.

Si debes elegir entre una hamburguesa y un bistec, entonces un bistec te dará mucho más nutrición. Si debes elegir entre una entrada de papas fritas y una entrada de ensalada, entonces ya sabes qué hacer.

Ten en cuenta que aún una ensalada "saludable" a menudo será bastante alta en calorías si lleva una gran cantidad de aceite y sazonamiento.

Si tu comida va a ser muy calorífica, entonces trata de minimizar el daño al consumir agua en vez de vino y omitir la entrada o compartirla con alguno de los comensales.

Los postres casi siempre deben evitarse en restaurantes, pero para hacer esto menos incómodo, considera compartirlo o simplemente toma un café y un biscotti.

10.

Maneras fáciles de reducir las calorías y la comida chatarra

Una buena dieta no se trata sólo de lo que añades, sino también de lo que quitas. Desafortunadamente muchas personas se olvidan de pensar en los aspectos más pequeños de su rutina diaria y su dieta al tratar de controlar y administrar sus calorías y nutrientes, y esto puede arruinar sus matemáticas.

Esta lista te proporciona algunos consejos más que pueden ayudarte a evitar esas molestas calorías vacías que podrían meterse en tu dieta sin que te des cuenta.

Toma café negro – Si actualmente comienzas cada día con un espumoso Cappuccino, o un café con leche, entonces estás acumulando calorías y azúcar innecesariamente.

De hecho, una bebida caliente indulgente, como la mencionada anteriormente, a veces puede contener en exceso de 200 calorías. En su lugar, toma buen café negro (llamado también café Expreso), y añadirás tan sólo 2 calorías, mientras aumenta tu metabolismo.

Evita las bebidas de Soda – Las bebidas de refresco como la Coca-Cola son uno de las mayores peligros para una buena dieta. Este tipo de bebidas están llenas de azúcar y calorías, y proporcionan cero beneficios. ¿Sabías que un vaso de Coca-Cola tiene la misma cantidad de azúcar que una barra de chocolate? Cambia este líquido por un poco de jugo de fruta, zumo, agua o leche.

Evita añadir azúcar - Si agregas azúcar a tu té, entonces esta es otra manera en la que innecesariamente añades azúcar y calorías a tu ingesta diaria.

Del mismo modo, también debes dejar de añadir azúcar a tu cereal y a tu fruta. Como un bono adicional, con el tiempo este cambio disminuirá el deseo por lo dulce y anhelarás menos los bocadillos azucarados.

Utiliza cuencos más pequeños - ¿Luchas con el control de las porciones? Simplemente reemplaza tus cuencos y platos con alternativos más pequeños. Te encontrarás obligado a apilar menos, lo que a su vez te hará comer menos en total.

Consigue cubiertos más pequeños - Consigue algunos cubiertos pequeños para que hagan juego con ese pequeño tazón y plato. Esto te hará comer más lento y te hará sentir más lleno mucho más rápido.

Bebe agua - Bebe un vaso grande de agua antes de tu próxima comida. La absorberás mejor y tendrás menos hambre, lo que hará que no comas de más.

Evita la mantequilla – La grasa saturada como la que viene de la mantequilla no es mala para ti, pero sí agrega muchas calorías. Si quieres perder un poco más de peso, simplemente deje de añadir mantequilla a tus sándwiches y a otras de tus comidas.

*****

Conclusión y Resumen

Tu Plan para atenerte a las comidas saludables y bajas en calorías

A lo largo de este libro hemos visto la naturaleza de la dieta en detalle. Hemos superado muchas de las jergas y tonterías que se aconsejan en las dietas modernas y hemos hablado de los temas prácticos que hacen que tu dieta FUNCIONE.

Una buena dieta no sólo debe ayudarte a perder peso (y mantenerte en ese peso), sino también debe construir músculo, mejorar tus niveles de energía y mejorar tu cerebro. Y la mejor manera de lograr todo eso es…

- Calcula tu TMA personal para saber cuántas calorías estás quemando cada día

- Consume menos calorías de las que quemas para perder peso

- Calcula como estimación las calorías en lugar de contarlas minuciosamente

- Reduce la ingesta de carbohidratos simples

- Reduce la ingesta de alimentos procesados

- Por lo contrario, asegúrate de obtener una buena mezcla de todo lo que puedas y no ignorar ningún grupo de alimentos

- Busca los alimentos más ricos en nutrientes

- Para hacer que esto funcione, necesitas utilizar algunos trucos y estrategias para conseguir que se amolde a tu dieta y tu rutina.

Para lograr lo que antes hemos detallado, vale la pena seguir una serie de trucos prácticos:

- Administra tu tiempo y niveles de energía de manera que prioricen tu dieta y salud

- Utiliza la mañana y la tarde para consumir tus comidas aburridas y saludables

- Considera aprovechar lo que ofrecen las empresas con envío a domicilio, barras de ensalada etc. para una manera diferente de conseguir una comida conveniente y económica

- Cocina tus comidas de la tarde con alimentos frescos donde sea posible y disfrútalas. Comer lentamente y comer combinaciones para ayudar en la absorción.

- Organiza tu cocina e invierte en los aparatos adecuados (como una batidora, por ejemplo)

- Evita calorías y bocadillos de manera sencilla (evitando las bebidas gaseosas, etc.)

- Aprende algunas comidas básicas a las cuales recurrir cuando tienes poco tiempo.

- Mantén a mano algunos ingredientes útiles en tu armario

Y para hacer todo esto mucho más fácil, hemos incluido muchas buenas y fáciles recetas en cada capítulo, como así también un libro gratis que está incluido al final de este capítulo.

Finalmente, ¡recuerda que solo eres humana! No seas demasiado exigente contigo misma si no lo logras de inmediato, ya que son MUCHOS cambios.

Comienza con pequeños pasos simples y amplía estos con el tiempo. Ellos marcarán unas diferencias muy grandes y pronto te sentirás mejor que nunca.

*****

Libro de Regalo

**Cómo Adelgazar
y Mantenerse Delgada**

Y cómo hacer adelgazar y
mantener delgada a tu familia

Seguramente necesitarás muchas más recetas para que tu dieta no se torne monótona y aburrida. Con la compra de este libro también llevas gratuitamente el libro **Cómo Adelgazar y Mantenerse Delgada - y cómo hacer adelgazar y mantener delgada a tu familia** en formato de Libro Electrónico.

Descárgalo desde Editorial Imagén. Escribe este link en tu navegador:

https://goo.gl/wgbCc6

Esperamos que te sea útil a medida que integras los consejos a tu vida cotidiana.

Estimado Lector

Nos interesan mucho tus comentarios y opiniones sobre esta obra. Por favor ayúdanos comentando sobre este libro. Puedes hacerlo dejando una reseña en la tienda donde lo has adquirido.

Puedes también escribirnos por correo electrónico a la dirección **info@editorialimagen.com**

Si deseas más libros como éste puedes visitar el sitio de **Editorialimagen.com** para ver los nuevos títulos disponibles y aprovechar los descuentos y precios especiales que publicamos cada semana.

Allí mismo puedes contactarnos directamente si tiene dudas, preguntas o cualquier sugerencia. ¡Esperamos saber de ti!

Más Libros del Autor

Dieta Paleo - Descubre cómo bajar de peso, alcanzar salud y bienestar óptimo para siempre

Luego de ver a qué se le llama dieta paleolítica, sus virtudes y beneficios, veremos temas de importancia, tales como la preparación para su dieta Paleo, cómo manejar los antojos y los síntomas y le ayudaremos en la planificación de su dieta, y cuidar de sí mismo.

Cómo Adelgazar Comiendo - Descubre cómo perder peso sin dejar de comer

Secretos detrás de la forma real y efectiva para perder peso. Varias estrategias que te ayudarán a deshacerte de esos kilos de más, para siempre – sin pasar ni un solo día de hambre.

Más Libros de Interés

Recetas Vegetarianas Fáciles y Baratas - Más de 100 recetas vegetarianas saludables y exquisitas para toda ocasión.

Un recetario que contiene una selección de recetas vegetarianas saludables y fáciles de preparar en poco tiempo.

La Dieta de Dios – El plan divino para tu salud y bienestar

Es hora de que rompamos la miserable barrera nutricional y empecemos a disfrutar de la buena salud y el bienestar que Dios quiere que tengamos. Principios bíblicos para una buena nutrición y fundamentos para edificar un cuerpo fuerte y sano para disfrutar de la vida.

Cómo Vencer el Acné - Un tratamiento natural para deshacerte del acné rápidamente

Si sufres de acné, ya sabes cuán doloroso y humillante puede ser padecer de granos, barros o cualquier tipo de irritación de la piel. Y probablemente ya has probado todo lo que ha llegado a tus manos para mejorar tu afección.

El amor romántico - Cómo Mantener Encendida la Llama del Amor en Todas sus Etapas.

¿Qué podemos hacer para mantener vivo el romance? Con tantos matrimonios que terminan en divorcio, ¿cómo logramos ser diferentes? ¿Cómo tenemos una relación satisfactoria que dure toda la vida

Consejos de Maquillaje y Belleza Corporal - Descubre cómo realzar tu belleza natural

Consejos para un maquillaje perfecto. Quiero invitarte a que conozcas los pasos para que tu maquillaje luzca impecable en esos momentos especiales y además dejarte consejitos adicionales. - Cuidados de la piel.

Trucos para la Cocina y el Hogar – Consejos prácticos para simplificar las tareas y ahorrar tiempo, dinero y esfuerzo.

Nuestra vida agitada pide que simplifiquemos nuestras tareas. Más de 650 trucos o pequeñas ayudas pero con largo alcance. Consejos referentes a los alimentos, limpieza, jardín, el coche y mascotas.

Recetas de Carnes - Selección de las mejores recetas de la cocina británica

La carne es la protagonista en la mayoría de los platos de muchas culturas. Más de 90 de las más populares recetas que incluyen aves y caza, tartas con carne, recetas de carne con gelatina, salsas y rellenos para las carnes.

Recetas de Pescado y Salsas con sabor inglés

Recetas populares y a la vez muy fáciles, de la cocina británica. El recetario presenta diferentes maneras de cocinar el pescado, como así también tartas de pescado y salsas para acompañar el pescado.

Recetas de Sopas con sabor inglés

La sopa es un plato saturado de proteínas y nutrientes, es muy fácil de elaborar y además, apetece a cualquier hora del día. En la dieta inglesa la sopa es muy importante.

Este recetario ofrece una variedad de recetas populares y deliciosas de la cocina británica.

*****

Lightning Source UK Ltd.
Milton Keynes UK
UKHW020705010520
362627UK00019B/2194